Le TDA/H

raconté aux enfants

D1413277

Catalogage avant publication de Bibliothèque et Archives nationales du Québec et Bibliothèque et Archives Canada

Hébert, Ariane, 1974-

Le TDA/H raconté aux enfants : j'ai un quoi ?

Pour les enfants.

ISBN 978-2-89662-593-2

1. Hyperactivité – Ouvrages pour la jeunesse. 2. Enfants hyper-actifs – Ouvrages pour la jeunesse. I. Morin, Jean, 1959- . II. Titre.

RJ506.H9H422 2016   j618.92'8589   C2016-940424-2

Édition
Les Éditions de Mortagne
C.P. 116
Boucherville (Québec) J4B 5E6
Tél. : 450 641-2387
Téléc. : 450 655-6092
Courriel : info@editionsdemortagne.com
Site Web : editionsdemortagne.com

Illustrations
© Jean Morin

Dépôt légal
Bibliothèque et Archives Canada
Bibliothèque et Archives nationales du Québec
Bibliothèque nationale de France
2ᵉ trimestre 2016

ISBN 978-2-89662-593-2
ISBN (epdf) 978-2-89662-594-9
ISBN (epub) 978-2-89662-595-6

1 2 3 4 5 — 16 — 20 19 18 17 16

Imprimé au Canada
Gouvernement du Québec — Programme de crédit d'impôt pour l'édition de livres — Gestion SODEC.

Membre de l'Association nationale des éditeurs de livres (ANEL)

ARIANE HÉBERT, psychologue

Le TDA/H
raconté aux enfants

Illustrations par
Jean Morin

ÉDITIONS DE MORTAGNE

À tous ces merveilleux
petits êtres d'exception.

Je peux geindre, b[...] piquer une  **CRISE** qu'on me demande de faire cesser de jouer à mes jeux vidé[...] lit. Même mon petit frère, à toujo[...] être près de moi, me pousse à bout!

longtemps que j'ai l'impression d'être **différent**.

Je suis naturellement enjoué et de bonne humeur, mais il m'arrive souvent de me FÂCHER SOUDAINEMENT pour un rien. Ma colère me prend moi-même par surprise et je la sens monter à l'intérieur comme la lave bouillante d'un volcan prêt à exploser.

ouder, bougonner ou simplement parce mes devoirs, de ou d'aller au urs vouloir

À l'école, je peux lancer mon crayon par terre ou fondre en larmes devant tous les élèves si je ne comprends pas un problème de mathématiques. C'est tellement gênant! Il m'arrive aussi de bousculer les autres dans le rang et d'être brusque, même si je tiens à mes amis et que j'essaie d'être gentil.

Et ce ne sont là que quelques-unes des situations qui m'IRRITENT.

Je déteste faire des crises, mais je suis incapable de me retenir. C'est terrible, se sentir impuissant devant ses propres émotions!

— Est-ce que ça veut dire que je suis *fou* ? que je demande à la psychologue.

— Pas du tout ! Tu es tout à fait normal, Léo ! Ton TDAH fait de toi un chat-garou. Tu te montres parfois enjoué, espiègle et doux comme un chaton, mais un événement quelconque peut faire en sorte que tu te transformes brusquement en LOUP-GAROU. Tes crocs et tes griffes se mettent alors à pousser et tu te surprends à grogner ou même à hurler ! Tu voudrais rester calme, mais c'est plus fort que toi et tu ne parviens pas à arrêter ta transformation. Lorsque tu redeviens un chaton, tu regrettes tes gestes, tu éprouves de la honte et tu ressens de la tristesse.

Après que nous avons quitté le bureau de la psychologue, dans la VOITURE, sur le chemin de l'école, maman me demande :

ACCEPTES-TU QUE JE PARLE DE TON TDAH AVEC TON ENSEIGNANT, MONSIEUR LEMAY?

JE NE SUIS PAS SÛR... C'EST GÊNANT!

MAIS CE N'EST PAS TA FAUTE! D'AILLEURS, TU SAIS QUE TA COUSINE JUSTINE EN A UN, ELLE AUSSI?

JUSTINE? ELLE EST SI TRANQUILLE! JE NE L'AI JAMAIS VUE SE TRANSFORMER EN LOUP-GAROU.

C'EST PARCE QUE JUSTINE A UN TDA - UN TROUBLE DU DÉFICIT DE L'ATTENTION SANS HYPER-ACTIVITÉ NI IMPULSIVITÉ.

Ma cousine Justine est très calme et très **LENTE** dans tout ce qu'elle fait. Lorsque la cloche sonne, à l'école, elle est toujours la dernière habillée. Elle manque aussi souvent de temps pour terminer ses travaux en classe ou pour finir son repas le midi. Un jour, elle a raté l'autobus parce qu'elle avait passé un trèèèès long moment devant le miroir de la salle de bain à *chantonner* et à faire des grimaces à son reflet.

Justine affirme que ses pensées volent et *virevoltent* dans sa tête, comme un nuage de papillons qu'elle ne peut s'empêcher d'admirer. Elle en oublie ce qu'elle fait et n'entend plus les consignes et les explications qui lui sont données. À d'autres moments, elle est incapable de ne pas prêter attention à ce qui se passe dans son environnement. Le moindre *bruit* la dérange et elle parvient difficilement à rester concentrée pendant de longues minutes.

Lorsqu'elle lit, elle ne comprend souvent pas tout et ne retient pas l'histoire. Il lui arrive également d'**échouer** à la dictée, en classe, même si elle a bien étudié la veille. Je me rappelle avoir entendu mon oncle, un soir, raconter que Justine pleurait parfois en revenant de ses séances d'ortho-pédagogie. Ma cousine se pensait *IDIOTE* et craignait que les autres ne la croient paresseuse.

— Justine est débordante d'imagination et de créativité, mais son TDA fait d'elle une tortuette, m'explique maman.

Comme la tortue qui se réfugie parfois dans sa carapace, ta cousine se retranche dans ses PENSÉES. Il lui devient alors difficile d'être attentive à son environnement. À d'autres moments, elle se comporte comme une girouette qui tourne la tête dans tous les sens pour ne rien manquer.

Elle voudrait bien faire autrement, mais elle n'y parvient pas! Depuis quelque temps, Justine prend un médicament qui l'aide à garder la tête hors de sa carapace pour voir et entendre la vie autour d'elle, sans pour autant s'étourdir à tout vent.

— Moi, je n'ai pas besoin de médicament, maman ?

— Pas pour l'instant, mon gros chat. Peut-être un jour… mais pas maintenant.

En arrivant à l'école, je COUTS rejoindre mes amis dans l'aire de jeux pendant que ma mère va discuter avec monsieur Lemay.

Emma, tête en bas, se BALANCE, accrochée par les jambes à un module.

— Emma, tu vas encore avoir un billet rouge si la surveillante te voit faire des acrobaties!

— Je sais, je sais... pas facile d'être une sauta-beille comme moi!

Emma a elle aussi reçu un diagnostic de TDAH après que ses parents, croyant avoir mis au monde une sauterelle bondissante

plutôt qu'une petite fille, ont consulté une infirmière spécialisée. Elle leur a expliqué que l'hyperactivité d'Emma la rendait incapable de rester en place. Elle ressent constamment le besoin de bouger, de courir ou de SAUTER. Ses mains et ses pieds remuent sans arrêt et elle touche à tout ce qui se trouve à sa portée. Elle mâche aussi ses crayons, réduit son efface en miettes, fait des bruits étranges avec sa bouche et se tortille sur sa chaise comme si elle était assise sur une fourmilière.

On ne s'ennuie jamais avec elle et elle est débordante d'énergie !

Si notre professeur a besoin qu'un volontaire aille porter les cartes d'absence à la secrétaire ou lave les tables après la période de bricolage, Emma est la première à lever la main. Elle adore rendre service! Certains jours, on dirait qu'elle est partout à la fois tellement elle travaille sans relâche, en tourbillonnant comme une abeille.

Heureusement, grâce à l'exercice physique et à différentes stratégies, Emma a appris à gigoter sans déranger et elle parvient à mieux se contrôler lorsqu'elle doit rester calme.

— Léo! appelle alors monsieur Lemay dans l'entrebâillement de la porte qui donne sur la cour d'école. Viens par ici, jeune homme!

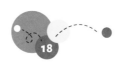

Je sens mon ventre se serrer. J'espère qu'il n'est pas déçu ou fâché d'apprendre que je suis un CHAT-garou...

Je rejoins mon enseignant et ma mère, qui affichent tous deux de larges sourires, ce qui me rassure aussitôt. Maman prend la parole:

— Je crois que tu vas aimer ce que monsieur Lemay veut t'annoncer...

— Léo, nous n'avons pas été présentés correctement, dit mon enseignant en me

tendant la main droite. Je suis monsieur Lemay, le poissinge.

— Je ne comprends pas...

— Eh bien, à cause de mon TDAH, j'ai une mémoire MINUSCULE, comme celle d'un poisson rouge, mais je n'en demeure pas moins malin comme un singe!

— Vous avez un TDAH? Mais... vous êtes un adulte!?!

— Beaucoup d'adultes en ont un aussi. Pour ma part, je fonctionnais très bien lorsque j'étais au primaire. Il m'arrivait parfois d'égarer mes mitaines ou ma boîte à lunch, mais sans plus. Au secondaire, j'ai bien cru que ma mémoire était restée dans ma classe de sixième année! Je passais mon temps à chercher mes lunettes, mon porte-monnaie et mes clés. Je laissais mes patins dans le vestiaire, mon sac d'école dans l'autobus et ma veste à la cafétéria. Ma mère disait souvent qu'un jour j'allais oublier ma tête quelque part... Les adultes autour de moi croyaient que je manquais de bonne volonté. Aujourd'hui, je prends une médication et j'ai mis au point plein de méthodes pour arriver à me souvenir... de ne pas OUBLIER!

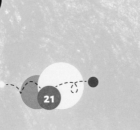

Quel soulagement! Non seulement mon enseignant est bien placé pour me comprendre, mais il pourra aussi m'aider en m'apprenant ses trucs. Monsieur Lemay m'a assuré que, malgré mes difficultés, je pourrais prendre part à toutes les activités qui me plaisent et RELEVER une foule de défis. Plus tard, j'aurai le choix de faire n'importe quel métier ou profession. Rien n'est hors de ma portée!

Croyez-moi, les chats-garous, les tortuettes, les sautabeilles et les poissinges de ce monde n'ont pas fini de vous ÉPATER!

ET TOI?
AS-TU UN TDA
OU UN TDAH?

Tu ressembles à un chat-garou, à une tortuette, à une sautabeille, à un poissinge ou à un heureux mélange de tout ça? Voyons un peu les traits qui te caractérisent... Coche ce qui te décrit le mieux dans chacune des catégories.

LE CHAT

- [ ] Une accolade? Un câlin? Un bisou? Demandez et vous recevrez! Je suis doux et affectueux.

- [ ] Le bonheur me vient facilement et j'ai peu de soucis. Qu'il est agréable d'être en ma compagnie!

- [ ] Je suis sensible aux autres et toujours prêt à voler à la rescousse des âmes en peine.

- [ ] Tout le monde veut être mon ami. Faites la file, je vous prie!

- [ ] J'ai un talent naturel pour faire rire, faire plaisir et rendre mon entourage joyeux.

LE LOUP-GAROU

☐ Je sais ce que je veux et je le veux *maintenant*. Hop, hop, hop! On s'active, s'il vous plaît, je n'aime pas attendre.

☐ Vous souhaitez me faire sortir de mes gonds? Rien de plus simple, vous n'avez qu'à me dire non.

☐ Je vis mes émotions avec beaucoup d'intensité! Je peux me rouler par terre, me lamenter pendant de longues minutes, crier, pleurnicher ou rouspéter sans que rien m'arrête.

☐ Je suis insistant quand je fais des demandes et je reviens à la charge encore et encore. Je peux aussi poser la même question des milliers de fois… jusqu'à ce que la réponse soit celle que j'attendais.

☐ Lorsque je suis stressé ou tendu, quiconque ose me regarder, me parler ou m'approcher joue à un jeu dangereux!

LA TORTUE

☐ Je fonctionne à deux vitesses: lent et très lent. Le moins qu'on puisse dire, c'est que je ne suis pas pressé...

☐ Je suis souvent dans la lune ou perdu dans mes pensées. Je songe, je rêve, j'imagine, je réfléchis... Il s'en produit, des choses, dans mon esprit!

☐ Vous pouvez crier mon nom, passer l'aspirateur sur mon pantalon ou mettre le feu à la maison; si je regarde la télévision ou que je joue à des jeux vidéo, je ne réagirai pas.

☐ Est-ce que je parle tout seul? Peut-être, sans m'en rendre compte... Il faudrait que quelqu'un m'enregistre.

☐ Je suis créatif, imaginatif, inventif et passionné.

LA GIROUETTE

☐ Je vois tout, j'entends tout et je mets mon nez partout. Impossible de me cacher quoi que ce soit, n'y pensez même pas!

☐ Silence, s'il vous plaît! Le moindre bruit me déconcentre et j'ai beaucoup de mal à me remettre à la tâche après avoir été dérangé.

☐ Par où commencer? Dans quel ordre? J'ai du mal à structurer mon emploi du temps.

☐ J'avais bien appris mes leçons, pourtant! Comment se fait-il que je ne m'en souvienne plus? Je donne parfois l'impression d'oublier certaines notions que je maîtrisais très bien.

☐ Cœurs sensibles, prière de ne pas ouvrir mon bureau ou ma case! Il y règne le bordel le plus complet et le port du casque est fortement recommandé. Pour circuler dans ma chambre, il serait préférable de savoir voler, plutôt que de marcher sur le plancher encombré. J'ai du mal à m'organiser.

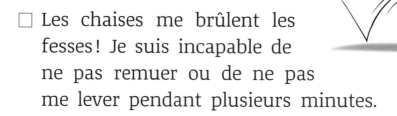

LA SAUTERELLE

☐ Les chaises me brûlent les fesses! Je suis incapable de ne pas remuer ou de ne pas me lever pendant plusieurs minutes.

☐ Allons, allons, on ne va pas y passer la journée! Après peu de temps à faire la même activité, je suis déjà lassé.

☐ J'ai tellement de choses à raconter! Je parle, je chantonne, je fais des blagues, des bruits de bouche... Ne me demandez pas de me taire, pitié!

☐ Me mettre au travail? Vraiment? Pourriez-vous me faire des rappels, insister et me talonner? Dans ce cas, je finirai peut-être par céder...

☐ Vite, vite, vite! Pas le temps de s'attarder aux détails ou de faire les choses convenablement. Le temps presse et je fonce droit devant.

L'ABEILLE

☐ Je suis infatigable, toujours prêt à prendre part à une activité. Qu'est-ce qu'on fait aujourd'hui?

☐ Me reposer? Non merci, j'aime mieux bouger.

☐ Je peux travailler d'arrache-pied et faire preuve de beaucoup de persévérance. Les obstacles ne me font pas peur!

☐ Ne me demandez pas de ralentir le rythme, je ne supporte pas l'ennui!

☐ Qu'on me donne des responsabilités! Je ne demande pas mieux que de contribuer en classe ou à la maison.

LE SINGE

☐ Je vois ou j'entends une seule fois une consigne ou une marche à suivre et ça y est, j'ai saisi le fonctionnement.

☐ J'ai toujours plein de projets et d'idées complètement éclatées en tête!

☐ Ne perdez pas votre temps ni votre salive à m'expliquer; j'apprends par moi-même, en observant et en réfléchissant.

☐ Je suis parfois étonnant dans mes réflexions. Certains disent que j'ai l'air plus vieux que mon âge.

☐ J'ai le sens de la répartie. Je trouve toujours une réplique à vos arguments, une idée à débattre ou une opinion à partager.

LE POISSON ROUGE

☐ Mais qu'est-ce que je faisais il y a dix secondes, déjà? Qu'est-ce que je venais chercher, ici? J'ai oublié...

☐ J'aimerais vous raconter ce qui s'est passé aujourd'hui, mais je perds le fil de mes idées. Attendez que je me souvienne de mon histoire... Devrais-je recommencer?

☐ Sommes-nous l'avant-midi ou l'après-midi? Quel jour de la semaine? Le temps est confus pour moi.

☐ Mon sac d'école est forcément troué; j'ai rarement tout mon matériel lorsque j'arrive à la maison. Quant à mes mitaines et à ma boîte à lunch, je les soupçonne de se sauver lorsque personne ne regarde...

☐ Il m'arrive d'oublier des lettres dans un mot, des mots dans une phrase ou de faire des erreurs d'inattention... Mais, puisque je ne le fais pas exprès, ne suis-je pas un tout petit peu excusé?

Tu as coché deux traits ou plus dans une catégorie? Alors cet animal te représente en partie! Cependant, il est tout à fait normal que tu aies repéré des traits qui te ressemblent dans plus d'une catégorie. C'est ce qui te rend unique!

Ton TDA ou ton TDAH peut entraîner des difficultés, pour toi, à la maison, à l'école, au service de garde, dans les activités sportives ou autres. Il t'arrive certainement de parvenir à te maîtriser dans certaines situations ou même pendant une période plus ou moins longue, mais cela te demande beaucoup d'efforts, n'est-ce pas?

VOICI QUELQUES TRUCS QUI POURRONT T'AIDER À MODIFIER LES COMPORTEMENTS NON SOUHAITÉS.

TU AS DU MAL À RESTER CONCENTRÉ OU À NE PAS TE LAISSER DISTRAIRE?

● Installe-toi dans un environnement calme pour travailler. Pas de télé ni de tablette électronique, et encore moins de chien qui cherche à se faire flatter.

○ Range tout le matériel dont tu n'as pas besoin.

● Fais des pauses, régulièrement, afin de ne pas te fatiguer.

○ Porte des coquilles antibruit pour ne pas entendre les sons autour de toi et bois de l'eau pour te garder stimulé.

● Révise ton travail, à la recherche d'erreurs d'inattention.

○ Fais alterner les activités faciles et agréables et les difficiles (celles que tu aimes moins) afin de rester motivé.

● Tu peux aussi te fixer des objectifs, à court, moyen ou long terme, et même te promettre des récompenses pour te féliciter!

TU AS DU MAL À PLANIFIER ET À T'ORGANISER?

○ Range toujours tes choses au même endroit. Ainsi, tu vas créer des habitudes qui te permettront de te retrouver.

○ Aide-toi à te souvenir en prenant des notes et en créant des rappels pour ce que tu as à faire. Les Post-it, une sonnerie d'alarme et l'agenda sont très utiles quand on sait les utiliser!

● Fais-toi des listes:

⊘ CHOSES À NE PAS OUBLIER ;

⊘ CHOSES À FAIRE ;

⊘ CHOSES À PRÉVOIR OU AUXQUELLES PENSER.

● Raye les points sur ta liste au fur et à mesure que tu les accomplis. C'est motivant de voir tout ce que tu as réalisé!

TU AS DU MAL À RESTER CALME SANS BOUGER?

○ Alors bouge! Mais au bon moment, quand c'est le temps. Fais de l'exercice, va jouer dehors, sois le messager de ta classe, tiens-toi debout quand tu le peux et évite de rester collé devant un écran.

● Utilise des balles antistress (ou tout autre objet pour occuper tes mains), un coussin de positionnement ou des élastiques sous les pattes de ta chaise pour bouger sans déranger.

○ Installe-toi dans un endroit où ton agitation sera moins remarquée: en bout de table à l'heure du repas, à une des extrémités de la rangée de cases, au bureau le plus près du mur en classe, etc. L'idée n'est pas de te rendre invisible, mais de te permettre de gigoter sans attirer l'attention des autres.

○ Lorsque tu ne peux vraiment pas bouger parce que la situation l'exige, concentre-toi sur des sensations physiques: sens ton ventre se gonfler d'air, les muscles de ton abdomen se contracter, tes cheveux chatouiller ton cou... Rediriger ainsi ton attention t'aidera à te calmer.

TU AS DU MAL À
MAÎTRISER TES
ÉMOTIONS?

● Respire par le nez! Les exercices de respiration peuvent t'aider à te calmer et à relaxer. N'abandonne pas et persévère; ça peut prendre un bon moment avant de bien maîtriser sa respiration.

◑ Quitte la pièce. Quand la situation devient tendue et que tu te sens sur le point d'exploser, sors pendant un moment, le temps de te calmer, puis reviens lorsque tu as repris le dessus sur tes émotions et tes réactions.

◉ Demande de l'aide. Les gens qui t'entourent sont bienveillants et capables de t'aider à te calmer, surtout si tu le leur demandes gentiment.

● Observe ton comportement. Pour t'aider à savoir comment agir et comment parvenir à te maîtriser, regarde-toi agir comme si tu étais une autre personne pouvant te conseiller. Qu'aurais-tu à te recommander ?

○ Fais-toi confiance. Tu as plein de ressources et de capacités en toi, qui ne demandent qu'à être dévoilées.

En conclusion, retiens bien qu'avoir un TDA/H entraîne certes des difficultés, mais aussi des avantages ! N'oublie jamais que tu es un être exceptionnel, unique et fantastique !

POUR LES PETITS CURIEUX...

Un scientifique sommeille en toi et tu aimerais comprendre d'où vient le TDA/H? Alors, lis ce qui suit...

Le TDA/H est un trouble neurodéveloppemental, ce qui signifie qu'il est d'origine neurologique ou physiologique. Il se situe à l'avant de ton cerveau (juste derrière ton front), mais n'a rien à voir avec ton intelligence, ta personnalité ou ta volonté. Il peut être héréditaire, ce qui signifie que, si certains membres de ta famille l'ont, il y a plus de chances que tu l'aies toi aussi. D'autres facteurs peuvent également en être à l'origine et la recherche scientifique continue de progresser sur le sujet.

Le trouble peut agir sur ta capacité à recevoir certaines informations ou ton aptitude à freiner certaines réactions ou certains comportements spontanés.

Il peut aussi t'empêcher de rester concentré longtemps, si tu écoutes ton enseignante, par exemple, ou si tu lis un texte. C'est un peu comme s'il y avait une fenêtre ouverte, dans ton cerveau, que tu tenterais de fermer pour ne pas entendre les bruits tout autour de toi. Malgré tes efforts, elle semble coincée! Porter des coquilles antibruit ou choisir un environnement calme et en retrait sont des moyens de t'aider à rester attentif.

Le TDA/H est également responsable de tes difficultés à bien gérer tes émotions et à te calmer. C'est comme si tes sentiments se mettaient à bouillir, dans ton ventre, à la manière de l'eau dans un chaudron. Pour éviter que ça déborde, il faut un couvercle, mais ton couvercle à toi est percé, alors l'eau se déverse et tu te surprends à pleurer ou à rager. En demeurant alerte, tu seras toujours conscient de ce qui se passe en toi et tu pourras réagir dès que tu sentiras les premiers bouillons se former.

Ton trouble t'empêche également de faire le tri dans tes pensées. Elles se précipitent dans ton cerveau, se bousculent, et tu ne parviens pas à les ralentir ou à savoir lesquelles ont de l'importance. Un peu comme si, plutôt que de te montrer une image à la fois, comme au cinéma, ton cerveau te montrait le film en accéléré! Difficile de comprendre l'histoire, dans ce cas, n'est-ce pas? Pour ralentir tes pensées, tu dois t'exercer à te concentrer sur une seule idée à la fois.

Enfin, ton trouble peut s'accompagner d'hyperactivité et ainsi entraîner un constant besoin de bouger. C'est comme si ton corps recevait des décharges électriques. Même si tu fais tout pour garder ton calme, tes muscles se contractent et tu t'agites à cause de toute cette énergie qui tente de se libérer! Ne cherche pas à rester immobile, mais développe plutôt des stratégies pour bouger sans nuire à ta concentration ou aux gens qui t'entourent.

Tu dois aussi savoir que les médicaments qui traitent le TDA et le TDAH agissent sur le cerveau pour l'aider à devenir maître des informations qui y entrent et des gestes posés. Pour certaines personnes, la médication est très utile, voire indispensable, alors que, pour d'autres, des trucs et des stratégies suffisent.

Par ailleurs, savais-tu que le TDA/H ne disparaît pas avec l'âge? Tu l'auras toujours, même lorsque tu seras grand! Mais, puisque tu seras habitué à composer avec lui, tu auras développé une foule de méthodes pour compenser, contourner et surmonter les difficultés qu'il entraîne. Tu pourras profiter à cent pour cent de tous les avantages qui y sont associés!

POUR LES PARENTS...

Pour accompagner votre enfant et le soutenir dans ses démarches, n'hésitez pas à lire et à échanger avec des professionnels afin de bien vous renseigner. Il existe une multitude d'ouvrages sur le sujet, dont *TDA/H — La boîte à outils*, de la même auteure. Vous pouvez également consulter le site Internet **boiteapsy.com** pour en apprendre davantage sur les différents troubles qui affectent les enfants.

Si vous avez des questions ou des commentaires,
visitez le site Web de l'auteure :

BOITEAPSY.COM

 Consultez également la page Facebook :
La boîte à psy

Vous pensez que votre enfant a un TDA/H ?